LA FORCE ÉTRANGE

Les Écrits des Forges
ont été cofondés par Gatien Lapointe
en 1971 avec la collaboration de
l'Université du Québec à Trois-Rivières.

SODEC
Québec ::

Le Conseil des Arts | The Canada Council
du Canada | for the Arts

Canada

La SODEC (Société
de développement des
entreprises
culturelles) et le
Conseil des Arts du
Canada ont aidé à la
publication de cet
ouvrage.

« Nous reconnaissons l'aide financière du gouvernement
du Canada par l'entremise du Programme d'Aide au
Développement de l'Industrie de l'Édition (PADIÉ)
pour nos activités d'édition ».

Illustration : « Bestyairpaysage », Dessin Jean Guillemard©

Distribution au Québec

En librairie :
Diffusion Prologue
1650, boul. Lionel Bertrand, Boisbriand, J7E 4H4
Téléphone: (514) 434-0306 / 1-800-363-2864
Télécopieur: (514) 434-2627 / 1-800-361-8088

Autres :
Diffusion Collective Radisson
1497, Laviolette, C.P. 335
Trois-Rivières, G9A 5G4
Téléphone : (819) 379-9813 — Télécopieur : (819) 376-0774
Courrier électronique : ecrits.desforges@aiqnet.com

Distribution en Europe

6, avenue Édouard Vaillant
93500, Pantin, France
Téléphone : 01 49 42 99 11 — Télécopieur : 01 49 42 99 68
courrier électronique : ecrits.desforges@aiqnet.com

ISBN
Écrits des Forges : 2 - 89046 - 597 - 7

Dépôt légal / Troisième trimestre 2000
BNQ ET BNC

CHRISTINE
BALTA

LA FORCE
ÉTRANGE

Écrits des Forges
C.P. 335, Trois-Rivières, Québec, Canada G9A 5G4

À Jean Gagnon, réalisateur des « Décrocheurs d'étoiles » à la chaîne culturelle de Radio-Canada et au poète Michel Garneau pour leur force tranquille et généreuse.

Aux miens pour leur amour.

Je remercie Bernard Pozier et Louise Blouin des Écrits des Forges de publier mon premier recueil de poésie. Je remercie également Jean Guillemard pour le tigre-paysage de la couverture.

PRENEZ UN CONGRE

Prenez un congre, une vive, une plie, une rascasse. Prenez un homme, un lit, une femme et un poisson. Prenez-les bien, sous le menton, sans qu'ils le sachent, prenez-les bien de haut, du plafond, du miroir sans qu'ils vous voient. Prenez leur bruit, leur pouls, leur peau et leurs odeurs, téléphonez pour vendre leurs organes, appelez les gens, distrayez-les, servez le congre à ces Messieurs. Prenez une femme sans lieu, sans feu sans rien du tout. Mettez-la dans la rue, laissez-la dans la rue, faites-la marcher longtemps sous la pluie, dans la neige, montrez-la aux hommes qui la regardent, qui boivent son visage, qui vont toucher son front. Prenez un homme quand il rentre chez lui, prenez son intérieur, son poste de radio et de télévision, ses émissions sportives, ses paires de running, ses ongles rognés qu'il suce qui sentent encore les sexes du carrefour plein des autres. Prenez un congre, une vive, une plie, une rascasse, versez dessus le vin et le bouquet garni et laissez mariner dans un bol en acier.

VERTE

Les oiseaux nous ont dit où trouver les druidesses, les prêtresses, les femmes qui récoltent la plante, qui offrent le bébé, le posent au pied du chêne, le donnent à la forêt.

Peut-être le loup viendra attraper dans sa gueule l'enfant qu'elle ne peut pas accueillir en son sein.

Peut-être, c'est son désir, une femme comme elle mais qui n'a pas d'enfant, viendra prendre nouvelle, découvrira l'enfant et le prendra contre elle, en elle, en lui ouvrant sa vie elle bénira le ciel, la mousse, les grands arbres, elle aura le visage baigné de larmes vertes, elle dira merci aux femmes chlorophylles, et elle n'oubliera pas la racine de l'homme qui a permis l'enfant. Ainsi la forêt vierge deviendra père et mère, et son enfant sera celui des autres femmes. Je le répète aux hommes pour qu'ils cessent la guerre.

LA CHASSE

Et tu n'es pas venu.

Ce soir, je reste seule. Tu n'as pas pris la route qui conduisait à moi. À l'heure des visites, tu ne t'es pas pointé, ni le nez, ni le front, ni la main, ni le cul. Non, tu n'es pas venu. Tu es resté assis dans le fauteuil rouge de l'orgueil des hommes.

Et je t'ai attendu assise comme une enfant sur le lit d'hôpital le dos à demi nu maigre et encore bronzée des trois jours à la mer qui viennent d'avorter.

Et tu n'es pas venu ; je disais le contraire à mes deux infirmières qui se sont regardées. Je n'ai pas eu raison de détester ces femmes.

Alors je suis partie j'ai trouvé mes habits je me suis rhabillée. Mes cuisses étaient en bois, j'avais un drôle de goût dans ma tête et dans mon ventre passé à la machine à viande. Si tu m'offres un blender pour la fête des mères, je le refuserai, et je refuserai d'expliquer mon refus. J'aurai envie de tuer, j'aurai envie de mettre ton sourire entendu dans le bol des toilettes, j'aurai une envie folle de te tirer la chasse sur les dents, sur le cou, je pourrai même rêver que ton col de chemise, ta cravate rayée, tes boutons de manchette soient foutus, salopés, par un torrent de sang aux yeux de têtard blanc. J'aurai une envie folle qu'il salisse ton âme et qu'il scelle à jamais la porte des amants.

LE GESTE DU MONDE

En tapant sur le drap j'ai retrouvé un geste que tu faisais maman la vie était facile alors il suffisait de vivre et les jours se levaient les matins se buvaient dans un bol à deux mains on regardait le ciel on prévoyait le temps tu montrais les nuages en forme d'animaux d'Afrique de chaloupe on partait en voyage quand tu nous le disais et tu faisais ce geste pour appeler le chat et tu tapais ta main sur le drap pour qu'il vienne recevoir la caresse qu'il ne méritait pas.

Et je refais ce geste je cherche dans mon âme où trouver le chemin je suis perdue sans toi ma main tape et retombe comme goutte de pluie écrasant du velours et le chat est parti.

TOUT FAUX

Un monsieur âgé descendait l'escalier tenant dans sa main droite un renard en peluche. Cet ancien amiral qui commandait ses troupes portait un bermuda et un polo rayé. Le renard le savait, ne faisait pas de vagues, pendu à l'étiquette qui entourait son cou. Et le monsieur passait et repassait montrant ses jambes nues. Moi si on me portait comme ça la tête en bas, je mordrais les mollets.

Comme il repasse encore à deux pas d'où je suis, je vois que le renard a une poche au ventre et deux immenses pieds ! Comme je me suis trompée ! C'était un kangourou ! Quant à mon amiral c'est un ex-danseur de claquettes burlesque natif d'Australie.

Il est temps qu'on m'envoie réfléchir dans ma chambre car si je continue à confondre les hommes, leurs fonctions, les bêtes en peluche, les animaux sauvages, les étiquettes et tout, ce soir à la maison, je pourrais bien te dire: Monsieur qui êtes-vous ?

LASSE

Mes yeux fixent le temps qui défile immobile. Mes yeux regardent en face la fatigue en prenant ses cheveux par le pouce et l'index, mes yeux ne peuvent plus se fermer ni dormir. Mon amant est le vide et ma couche silence. Le temps seul est disert. Il s'écoute et répète qu'il n'écoutera pas le cœur qui se lança épris dans une baie des anges et le tourment de vivre.

Mes yeux fixent le ciel plein d'étoiles de nuit qui ne protège pas mon rêve d'aventure.

Il a raison. Peut-être. Pourquoi se rappeler? Toi? toi qui offrais des fleurs de la même couleur en criant : J'ai trouvé !

POÈME D'AMOUR ET PETITS FRUITS

Elle a tout vu d'un coup :

le tronc d'arbre, la souris, la peau de l'éléphant, le galuchat, le squale, les poils de la framboise, les yeux de l'animal et ceux du surveillant.

Ça ne l'a pas surprise :

elle le savait déjà, elle savait bien la vie. Le combat serait simple et ardu : toucher à ces peaux-là, comme à la sienne propre, à sa continuité, savoir se distinguer sans faire la différence.

On se téléphonera du restaurant d'en face pour se voir accepter de prendre rendez-vous, pour se voir arriver avant de raccrocher, les yeux brillants et fous parce que nous avons l'âge, parce que nous avons tellement attendu, parce qu'on sait ce qu'on veut, parce qu'on est sûr qu'on aime.

La peur, la jalousie ne sont pas du voyage, parce que toi et moi nous avons triomphé.

Tout est petit. Tout est grand. Tout vit.

UN RÊVE DE GUY

Le spectacle s'achevait, une femme qui chantait avec sa guitare.

Je vois Léa qui sort, je lui dis bonjour, elle passe sans me voir. Elle passe à droite de moi qui suis derrière les portes vitrées qui en s'ouvrant laissent s'échapper la foule qui a bien aimé sa soirée.

Et puis je vois un homme, l'œil droit un peu fermé, le visage trop clair, et qui boite, qui claudique.

Et c'est toi mon amour d'il y a 17 ans, c'est toi Guy, c'est toi là, tu boites ce n'est pas toi, je touche en te frôlant la peau de ton poignet, elle est beaucoup plus douce que dans mes souvenirs, et ta voix a changé, d'ailleurs, tu ne parles pas, tu boites, ton œil, ton pas, ton visage, différent, un visage du jour de l'accident, tu sembles même plus jeune, moi seule ai vieilli, moi seule n'ai plus mon corps de femme que tu touchais, et depuis 17 ans je ne m'appartiens plus, j'ai besoin d'une canne et toi tu es debout.

Et ça fait 17 ans que je suis moins que nous.

LA BÊTE

Je saigne sans que tes mains aient jamais deviné qu'elles portent le couteau.

J'appelle notre histoire je crie mais tu es sourd je parfume ma couche et tu tournes le dos.

Comment ne vois-tu pas avec tes yeux de chair que je suis à genoux que mon âme se crève que dès l'aube venue je serai passagère du calendrier blanc au dernier chiffre noir?

Pourquoi le chasseur tue et ravage la mousse?

Il pourrait enlever ses bottes pleines de clous fouler les touffes vertes il pourrait s'accroupir et prendre dans sa paume quelques gouttes de l'eau qui abreuve le daim.

Rappelle-toi les contes, tu n'avais pas alors le désir de la flèche tu ramassais souvent l'aile brisée d'un oiseau. Tu as grandi trop fort.

Redeviens une bête.

BELLE DE MAI

Oh, moi, les grands voyages, je n'en ai pas envie.

Je vais sur le trottoir juste avant le taxi, je marche dans la rue, j'évite quelques chiens, je cours pour ramasser un chapeau qui s'envole, j'achète le journal et je bois mon café.

La paille du fauteuil fait un bruit qui me plaît. Le garçon glisse, habile, le verre de citronnade avec la cuiller au long manche en acier. J'ajoute le sucre en poudre.

L'air est doux au soleil. Tout peut recommencer.

Le bal sur la place, les jours de marché, le cheval blanc qui monte, la porte du taxi qui claque avec mes clés, l'arrivée de ton vol.

Je regarde les gens si joyeux de la vitre qui suspend un moment la pudeur des étreintes, le col de ta chemise qui sent toi qui sent nous, la fenêtre entrouverte sur les bruits de la rue.

UN RÊVE DE TOI

C'est de toi que j'attends que tu m'aimes. Je n'attends pas le même, car le même c'est moi.

J'attends l'autre de toi, tu es l'homme que j'aime dont je sais qu'il volera mes habits, qu'il fouillera mes tiroirs, dont je compte qu'il m'enlace à 5 heures, qu'il me fasse arrêter et que dans la cellule où il me conduira il me fasse violence en donnant une pièce au gardien de la clé. J'aimerai avoir peur, tu me terroriseras, parce que je le voudrai je te donnerai des ordres, violente-moi d'amour, n'oublie rien au passage, enlace-moi de tes bras nous ne serons pas sages, délinquante-moi, mon homme, mon autre humain je me connais, ça va, je et moi vivent ensemble — je et toi s'aimeront. Dépayse mes cartes, déchire mon passeport, brûle-le, squatte-moi, fais-moi ton étrangère, resaute-moi dessus, arrête la musique laisse-la continuer, saoule-moi d'impatience, retiens-moi quand je tombe quand je vais chavirer, retiens mon cœur qui bat, prends mon temps, prends ma bouche, je suis une grenade, ne touche pas mes seins... toi aussi tu verras, tu devras chavirer, je le veux, je te dis, ah! tu remontes à bord tu es le sous-marin et moi la grenouille, tu dis n'importe quoi, j'ai des palmes, attention, je coule je remonte et tu plonges, j'ai si peur. Tu m'éblouis encore. C'est un autre qu'il me faut, c'est de l'autre que vient ma belle construction, c'est ton regard qui m'aime, sans lui je ne sais pas. Je sais je suis puissante, j'ai droit de vie de mort sur ton corps, sur ta vie, je sais te terrifier si tu joues avec moi, tu es l'autre du lit, mon dos est une dune j'ai mal, toujours mon dos, mon matricule de bête qui porte, et porte et tombe, mais à nu je suis prince, plus lourde que la soie et tes mains amoureuses rechargent mes destins. Tu m'ouvres et tu me trouves plus grande que mon corps, plus belle que mon cœur qui t'a toujours dit oui plus longue qu'un sillage.

Je t'aime mon humain, tu es une vanille tu es fort moi petite et je te soumettrai quand tu seras trop fort et c'est au point du jour que tu m'envahiras.

ASA NISI MASA

Un océan de bleu, un feu doré qui aime, de la place pour tous, un grand lieu pour aimer. Joue « Mystification » regarde bien tes mains. Que portes-tu? Qu'apportes-tu ici?

Bonne nuit mon amour vois comme l'architecte a été brave et bon. Vois les carreaux, la pierre, la texture cramoisie du velours de la pluie, la venelle des tours, le long sentier moussu qui garde le secret. Prends garde, tu vieillis. Je gravis l'escalier de marbre blanc usé.

Vois comme la lumière, vois comme l'animal, vois comme le faucon et regarde mes mains qui te donnent à manger, qui lavent doucement qui sèchent tout ton ventre qui sont fraîches l'été qui réchauffent ton cœur quand il claque de froid.

Vois l'espace magique de la nuit généreuse qui s'ouvre devant nous comme un drap de satin tantôt frais tantôt chaud luisant comme tes yeux.

Sens la peau de ta joie prends la fraise et son jus garde-les en mémoire vois comme la mer est belle comme elle bouge bien, je danse entre les balles personne ne peut me tuer je ne meurs jamais vois la plage si grande pour attraper le temps.

La mer est impatiente, mon sexe est une figue et ta bouche un baiser les feuilles du figuier sont des mains de caresses. Je suis et blanche, et noire, et rouge, et bleue peut-être tu as peur car tu me reconnais. Ciao, la mer! Ciao à tous les flots qui portent notre histoire et lui donnent raison.

Partons. Dis-moi toute ta vie, je veux savoir ta vie, la source n'est pas loin elle est belle et solaire.

Les parois sont rugueuses les maisons silencieuses donne-moi ton enfance tes pleurs et ta fureur et je te vengerai. Tu me prends dans tes bras nous dansons lentement.

Le plaisir est si simple. Que les grandes toiles ouvrent les grands rideaux! Vois les hommes qui bougent vers les femmes qui tournent leur cou doucement et qui ont deviné qu'ils sont là qu'ils sont prêts. Et chacun a son rôle et en change à mesure et chacun dans la ronde redevient tout le monde. Que se lève encore le jour de notre amour et ton cœur que j'entends au lointain de ma vie, au lointain de la nuit qui me fait forgeronne de la clé en argent que je tourne bientôt dans le battant de chêne.

ET PIS J'AI FAIT L'AMOUR

On était dans un lit avec des vrais barreaux froids
en laiton qu'on se met aux poignets en hurlant au
plafond qu'on tisse en entrelacs, on se retrouve au
lit comme dans une vraie chambre avec une poire
de lampe qu'on tasse contre le mur avec un polo-
chon comme dans les vrais hôtels.

Tu m'as prise ta main droite a pris mes reins qui
cambrent, que j'ai un creux, que c'est facile à
prendre à glisser l'avant-bras et la main au complet
et à me coller contre et tu m'as fait l'amour simple-
ment sans un bruit et tu as écrasé ta fleur contre
ma fleur et j'ai ri en pensant à ta blague : MADA-
ME respirez pas comme ça la fleur orange vous
mettez votre nez dans ses organes sexuels.

C'était comme un hôtel comme une chambre de lit
et pis j'ai fait l'amour je m'ai pas rendu compte
pourquoi j'aurais rendu ce que tu m'as donné je
rends plus rien du tout je garde, c'est à moi.

C'était comme dans un couple d'amants neufs et
antiques. C'était comme chez nous, comme dans
notre histoire. J'ai plongé moi aussi, et dans la
poire de lampe comme dans un vrai hôtel, dans
une petite chambre, une suite de gala, la suite de
ton corps, grand et beau et tes mains, et nos dos, et
mes seins et tu m'as fait trembler et je t'ai fait aussi

des cossins, des items, une razzia de peau un bon coup de matière mais surtout un grand coup où tu plaques ton corps où tu m'écrases encore où tu danses une valse qui ressemble à du blues où tu danses mon corps où tu places mes reins comme s'ils étaient à toi, où le lit est la piste où danser où nos cœurs où ton sexe où tes bras mes épaules construisent un animal pluriel et singulier.

Qu'est-ce que tu faisais là avec la musique tu es venu au lit, j'avais un bout de sein le droit qui dépassait qui t'a fait un salut, un vrai bonjour de femme direct et compliqué et toi l'homme t'as pigé, tu as bien réagi, une tactique impeccable tu es venu vers moi sur moi, et contre moi tu as passé ta main, la droite, je crois dans le creux de mes reins que j'ai jackés, tu sais et quand le ventre est creux il reste presque plus rien à prendre dans tes mains mais moi je le sens pareil.

C'est bon quand tu me prends comme ça comme les danseurs qui collent leur matière contre notre matière qui tournent et volent et forcent la douceur et impriment leur force dans ma force en douceur.

On nous aurait plugués dans la chambre du lit comme dans un hôtel, on éclairait Paris, New York et Los Angeles.

CE QUE L'EAU M'A DONNÉ

Je vais prendre mon bain. Je songe à ton départ.
Bientôt tu reviendras. Je songe à d'autres eaux où
j'ai nagé déjà, au vent vert qui affole la dune et les
étangs. L'eau de tous les instants. L'eau qui porte la
jonque dans laquelle je glisse, les seins enrubannés
d'un voile blanc de lait, la prière qui appelle et
traverse le ciel, le saphir de tes yeux. L'eau grouille
de poissons charmants aux grosses lèvres aux écail-
les d'argent, l'espadon orgueilleux et le poisson
volant heureux et malheureux. L'eau qui boira ma
peau, que je partagerai. L'eau de vie, l'eau de mer.
L'eau du Nil, eau de femme. Le scribe a interdit
que tu te baignes nue. Tu devras te laisser toiletter
par les femmes. Elles te prépareront, il les regar-
dera huilant tes longs cheveux, vérifiant de leurs
doigts obstinés délicats la perfection des lèvres.
Elles t'apprendront comment une reine se tait
quand résonne la peau fine de son devant. Trois
d'entre elles guetteront la foudre des pupilles
déchirées de violet, tu devras revêtir une robe
d'opale, tu devras te plier à celui qui envie ton
désir et ta soif.

On n'invente pas l'eau, on ne la combat pas. L'eau
toujours déjà là, à l'orée des poissons. Le dieu du
caribou venait s'y abreuver, le chacal et la chouette
lui ont prêté leur flanc, l'aigle regarde tout et

l'éléphant heureux dresse au ciel sa trompe. La reine s'est levée, elle a prié les femmes d'enlever de ses bras, de son cou, de sa taille les lourdes chaînes d'or tressé de tubéreuses, elle a enfreint la loi elle a ri en plongeant dans l'eau où Crocodile regarde ses ébats. Elle parle aux animaux. L'eau pénètre son corps. Les servantes la suivent une à une, le fleuve est à la reine. Horus ne dira rien. Il contemple charmé l'eau enfin retrouvée, l'eau qui baigne les corps nus et parfumés, l'eau qui donne la vie quand on la lui demande.

L'eau m'a donné le monde.

Ouvre grande ta bouche.

FACILE

Je t'aime comme on aime un arbre un paysage et la douceur extrême du ventre de la grive ramassée palpitante.

Je t'aime comme on aime les larmes près du cœur prête comme un petit scout réveillé le matin en portage loin des siens qui découvre chaloupe rat musqué et ampoules qui saisit tout à coup qu'il est appartenu que tout lui appartient.

Il fait mille liaisons entre son corps et lui entre lui et le monde et le lac qui vit à des milliers de mètres en dessous de ses fesses redit la profondeur des volcans éteints de la terre si bonne si dure et si terrible. Il comprend en voyant le tracé des grands arbres le mamelon des montagnes qu'il fait partie de tout il sent que se déploie le réflexe typique du petit d'homme qui étend la main droite qui plonge son regard vers l'autre qui est lui et qu'il a reconnu auquel il va donner son cœur et tout le lac pour qu'ils voguent toujours et pagaient sur la vie, sur le volcan tranquille qui voit tout et attend.

FAUVE

À Jean Gagnon et Michel Garneau

Il est temps que je prenne comme compagnons de lutte un lion ou un guépard. Ces êtres me guideront, et mordront au passage les salauds de mes nuits.

Il est temps que je fasse le ménage des cages. Il est temps. Je n'aurai pas à les apprivoiser. En jungle on ne compte pas ainsi ! Mon lion sur le trottoir fera peur au banquier mon guépard dans la foule mordra le policier. Ainsi mes compagnons nous irons à la lutte ! Vous m'aiderez en ville, en prison, à la cour et dans les maisons closes. Nous voyagerons beaucoup !

Quand nous nous arrêterons le soir, fatigués, nous demanderons asile à un bon aubergiste. De joyeux soûlons crieront dedans la porte « Aubergiste, ta femme et ton vin ! » et mon lion sourira, se souvenant de tout. Le guépard tournera son cou souple et massif. Il posera sa masse de muscle et de beauté sur le dallage rouge, il bâillera peut-être, ou sortira la langue pour montrer qu'il a soif. Il ne demandera pas. Bientôt je déposerai à ses pieds une offrande. Un bon bol d'eau fraîche et un cuissot gibier. Mon lion rigolera et le bon aubergiste nous laissera dormir à l'étable sans chevaux. Les étudiants trinqueront dans des godets d'étain en forme de tulipe et la femme aubergiste chantera aguichante. Tout le monde dormira.

Demain nous repartons ! Je dirai en pensée bonne nuit à mes fauves. Je voudrai caresser leur robe luminescente mais je n'en ferai rien.

On ne touche pas ainsi deux animaux de gauche.

BANANA SPLIT

À toi Michel

Je pense, oui au rêve, mais pourquoi tant d'horreurs entre les deux parties de la réalité, mais une banana split, et le rêve des îles. Je mange ma banane au parfum de vanille en buvant le milk shake dans une coupe en verre j'aspire l'embout de la paille à piston, à coude de wagons qui s'articulent entre eux, qui rendent dangereux le pas chaussé de rouge — celui du voyageur et celui de ses tueurs qui ont choisi le train parce que tu es dedans — la paille rouge et blanc avec des barres rouges, la paille que je mets dans ma bouche qui pompe et qui apporte le lait et la vanille des îles où je veux en venir, à quoi je veux venir, à la banana split.

Banana split je rêve, une île, ça me suffit de l'avoir dans la coupe en verre blanc épais, dans une coupe amérique tandis qu'une voix parle trekking et sport extrême, je veux pas l'écouter, elle n'a jamais connu rien de la bananée, elle me fait la leçon, elle parle traversée entre l'idéalisme et le libre échangisme, de la droite obligée, du folklore figé. Le dédain de ses mots n'étrangle pas nos mains.

Banana split je rêve de mon île juste avec les copains, les amis de la rue, mes vrais amis de vie. Je suis assise, assise en flottant sur ma vie, je suis ma propre somme je suis mon addition, et j'ai payé, payé, je paie, je suis ma vie, je suis à moi, je n'appartiens qu'à moi, la seule chose que j'aie, c'est une banana split qui ne trahira pas. La banane est fidèle et elle ne souffre pas, par voie de conséquence elle ne fait pas pleurer, elle ne reproche rien, elle ne me montre rien, elle est c'est une chose que je vais intégrer dans mon corps cannibale sans une goutte de sang sans une goutte de sang, je mange la banane et la forme est à moi le satin de la peau de ziguane bébé, le parfum de vanille et la paille en plastique avec ses ouvriers, qui rêvaient à une île, et je vous prends la main, je vous serre contre moi et toutes les usines se passent des patrons, et toutes les prisons soufflent les miradors, et toutes les églises retrouvent enfin un cœur, celui qui bat dedans, celui qui bat encore et moi je rêve encore.

Banana split je rêve de mon île, je n'ai pas à y aller, elle est là elle m'entoure, elle est moi, elle me coupe et m'unit, je suis une banane, une banana split, je suis mon Amérique.

TAMBOUR

Il faut rêver au tambour avant d'avoir le droit d'en jouer.

Et je devrai rêver à toi, avant toi, avant moi, avant que tu ne viennes le soir dans ma rue, que je te reconnaisse parmi tous les passants qui viennent et vont bientôt toucher de leurs doigts gourds le rêve du passeur.

Il faut rêver l'amour avant qu'il ne revienne qu'il offre l'eau de ses yeux le parfum de ses lèvres le vent de ses cheveux.

Il faut rêver l'amour avant de le refaire. Je t'ai vu dans ce rêve tu étais différent, trop jeune pour ces années si éloignées de nous, trop jeune comme un soldat blessé mourant qui rentre qui arrive avec dans sa besace ses pauvres mains qui portent la terrible nouvelle.

Que son amour est mort même s'il l'a rêvé chaque instant chaque nuit chaque jour que là-bas a duré, qu'il ne peut plus rêver, que son amour est mort, qu'aucun rêve jamais ne pourra effacer tes yeux dans son regard, ses yeux dans ton regard.

Il faut rêver l'amour, je dois rêver l'amour pour te faire revenir, pour te faire arriver éclatant éclaboussant de rire fort et sûr de ta force. Je dois rêver ton corps mutilé mon amour je dois rêver tes

mains ta bouche, recoudre tout, ton ventre, pa-
tiemment, à la main, je dois tout reconstruire.
Aide-moi.

Tu es si jeune au train, tu rayonnes de vie, je dois
rêver le quai le wagon et nos pas, je dois rêver
l'amour et bientôt tu entends et j'entends le
tambour de tes mains.

EN REMONTANT LA RUE DE NEIGE

Le salon funéraire affiche le nom des morts comme une salle obscure qui a tué ses acteurs un mari un amant les parents et l'enfant un frère un comédien un assureur un clown.

Quand ton corps de baleine m'écrasait m'étouffait et que de mon index je te tapais l'épaule siouplaît siouplaît j'aimerais respirer on avait le fou rire on pouvait plus rien faire on s'en voulait de perdre ainsi du temps utile du temps de lit de sexe et ce geste du doigt je te le refaisais au café entre amis et là tu t'étouffais dans ton verre de pinard et moi je pratiquais le flegme des Anglais un couple un vrai couple beau comme des animaux.

Tu es sur la marquise c'est toi qui joues ce soir tout en haut de la rue trois fois je me retourne j'ai entendu ton pas ce soir chez nous sans toi je n'ai rien à pleurer mes yeux sont sous le sable tout me rappelle toi et tu n'es plus dans rien tu es sur la marquise qui babille la mort tout en haut de la rue en jouant à ta femme en jouant à l'ouvreuse qui déchire le ticket qui m'assigne la place que désormais j'occupe à la droite de rien.

LE GUERRIER

Je n'aurai pas d'excuse. Je n'ai que mon histoire et mes yeux fatigués qui demandent pardon à ceux qu'ils font pleurer.

Je n'aurai de cesse de te montrer mes choses, mes coins de rues, mes sons et mes images, mon plaisir, ma jouissance, mes lieux, mes souvenirs, mes vieilles lettres d'amour qui résistent à la flamme.

Et le chant de l'amour du poète écorché et castré en famille.

Pourquoi tu le demandes ?

Tu n'auras pas d'excuse de ne pas me comprendre, j'aurai passé le temps à te montrer l'horreur et la beauté, mes animaux qui boitent ramassés sur la route quand tout le monde klaxonne prêt à les achever.

Je n'aurai de cesse de nourrir, défendre, écouter, raconter puis me taire, fracassée sur les murs du silence qui rappellent la mort, les morts que j'ai connues, inouïes, indécentes.

Impossibles à ranger.

LE PAPIER PEINT DU MUR

La vieille femme courbée quitte la chambre bordée des enfants qui s'endorment. Elle quitte le lit d'amour où elle a accouché des enfants qui sont grands dont deux n'assistent pas à son enterrement.

Toi quand vas-tu mourir? Le sais-tu? Qu'est-ce que tu leur diras aux murs de la chambre au papier peint des murs? À quoi penseras-tu? N'est-ce pas insupportable ce mourir personnel, cet adieu à Mozart, à la vie des étangs, au corsage de ta robe, au pubis touffu, aux yeux de ton amant?

À qui penseras-tu? À ton père, à ta mère? À ton enfant qui dort qui rêve à cet instant à l'homme qui la pénètre et devient son amant? De quoi te plaindras-tu? Puisque tu habiteras pleinement le recul cette frange où toujours tu as funambulé sous les yeux d'une foule qui craignait que tu tombes, qui souhaitait que tu glisses.

Le dernier mot sera une blague un soupir son nom comme un regret?

Une envie enfantine de mettre ton index dans le plâtre du mur, de refaire de ton doigt la trace déchirée du dessin du papier ce papier retroussé, plié comme une queue de dragon miniature.

Dans le plâtre si frais comme la fraîcheur des draps que tu cherchais du pied après ta nuit d'amour sur les rives du vent?

J'AI UN CHAGRIN D'ANIS

J'ai un chagrin d'anis étoilé comme un ciel de nacre de bois flotté en forme de guitare. J'ai un chagrin d'ébène luisant comme la nacre solitaire comme le lait coulant de l'hévéa. J'ai un chagrin de sueur qui perle de mes lèvres qui coule de mon cœur qui dégouline encore. J'ai un chagrin de poulpe, d'encre de calmar que picore le bec de l'oiseau sans regard, une peine de perruche dans sa cage au miroir qui se glue les narines près de la barre en bois, qui balance l'arthrite des crochets de ses pattes, froides quand on les touche, étrange canevas de peau de serres de petit aigle. Quand tu voudras venir, sûr tu me le diras : attention à ta langue en léchant le rabat de l'enveloppe, ne te la coupe pas. Souvent il y a du rouge sur la colle du timbre où sourit une reine, un singe, un cachalot.

Il a dit : Et là ce sont mes chiens, la maison des gardiens, et là c'est ma maison, là c'est le jardinier. Ça c'est le Sahara avec un Touareg, un chameau, là c'est nous, en Thaïlande, c'est chez le frère d'Alain dans son grand restaurant, un hôtel. Un complexe. Là c'est Tizedhouédé, l'enceinte, les remparts, le sable. Et le désert. Là c'est moi allongée que personne n'attend, là c'est moi sur mon lit ample radeau de voile qui regarde le chat qui tremble dans son rêve, ouvre ses yeux d'absinthe aussi sûr que le bras qui plie à la saignée.

J'ai un chagrin d'anis qui envahit la chambre et qui recule en moi en sanglot de lino qui plombe les chevilles et répète sans bruit la fêlure du chemin.

LE REGARD D'ULYSSE

Je pleure au temps qui passe. Je pleure au voyageur. Aux cerises. À l'amour. À nos deux disparus dans une gare d'oubli.

Je pleure au prisonnier. Je pleure aux arrêtés qui songent loin d'ici.

Je pleure à tout à rien aux yeux poilus du chien à son grain de beauté à ses jambes qui bougent.

Je pleure à la putain qui regarde couler de la vitre les gouttes, assise dans le café, qui regarde la noce où nul ne l'a conviée, le bal de la noce où valse son amour.

Je pleure à la fumée noire des hôpitaux qui brûlent les foetus dont le corps calciné retombera en suie dans le regard d'Ulysse.

LE CIEL DU LIT

Il était tard et j'essayais de me souvenir de toi de moi et du temps qu'il faisait.

Il était tard et j'essayais de me rappeler la dernière fois le jour avant l'instant d'après où toi et moi on avait fait on avait fait notre dernière fois.

Et tu sais quoi c'est le trou noir c'est un panier percé troué à l'univers c'est une saloperie qui glisse et fuit qui cache son visage à mes yeux qui essaient de retrouver tes yeux qui me suivaient qui regardaient tomber un à un mes habits tu me faisais alors ton vieux tour de magie et nous allions au lit voyager toi et moi sur le dos de la nuit.

Il était tard et j'essayais de retrouver la page du carnet marquée d'une croix noire d'une pierre de jais est-ce que je le savais est-ce que tu l'as senti mardi ou vendredi un week-end de pluie de novembre ou de mai.

Le ciel était tout gris le ciel était petit le ciel était minable ça je te le parie.

LA FOLLE EN BIKINI

Elle est en bikini, dehors il fait moins trente, moins 174 et demi avec l'indice d'Éole, Ô dieu du vent, que tu es chiant.

Chez nous on avait une harpe éolienne qu'on crissait dans les coins pour faire peur au chat et aux vieilles voisines. Pour chasser les enfants qui épluchent sans bruit les pattes du faucheux.

Elle est en bikini, l'hiver, c'est fini !

Quoi, c'est pas beau l'hiver, le froid, le gel, Noël, les cadeaux, l'industrie de la luge et du ski ?

Elle est en grossièreté, elle va tout déballer, ça va saigner les mecs ! C'est la faute à l'hiver, au Bonhomme Carnassier qui nous fait picoler.

Elle est en pneumonie, deux minutes pas plus pour le but qu'elle se fixe, comme ça elle verra plus la neige, le blanc qui tombe, et tombe, hypocrite candeur.

Elle est en bikini, elle change de couleur, elle brandit un... Fais voir ! Mais poussez-vous qu'on voie ! Un foulard, un drapeau, c'est ça, un drapeau noir ! Où il y a d'écrit :

Ni Dieu, ni maître, ni bikini.

TU TE SOUVIENS DE MOI ?

Tu te souviens de moi ? Quand je courais vers toi de la peau de mon corps lisse neuf sans marque mon corps juste à moi cent pour cent naturel de ma peau sans brûlures sans les marques de coups

Tu te souviens de moi ?

Tu vois comme j'étais belle les voix tu les entends celles qui me racontaient que mon dos et mes seins mes dents et mes cheveux...

Tu te souviens de moi ?

Je me revois aussi respirant les pivoines inondées de fourmis et leur parfum suave chaque été démenti par leur corps charnu de fleurs japonaises

Tu te souviens de moi quand je cueillais les fraises accroupie et les mèches envahissant ma bouche et la sueur qui mouillait tous les creux de tissu collé sur mon corps cent pour cent naturel

Tu te souviens de moi avant toi ?

Tu revois la porte et la braguette lentement descendue tu te souviens de moi quand je t'ai supplié tu te souviens de tout ce que tu demandais de ton odeur de suint qui m'avait fait vomir de ce que tu as fait à mes cuisses à mon sexe des coups que tu m'as mis sur la bouche et les jambes des gros mots et de ma dignité jetée sur la carpette où je voyais du lit une botte couchée ma culotte en coton cent pour cent naturel tu te souviens qu'en plus tu voulais que je t'aime que je ne dise rien et que tu reviendrais tu disais sûr de toi que c'était ma surprise et que j'aimerais ça qu'à présent j'étais bien comme toutes les autres

Je me souviens de toi je ne t'oublierai pas je sais où tu habites tu conduis une auto une Ford vert olive la couleur de tes slips, et tu as deux enfants.

QUAND IL FAIT FROID J'AI FROID

Quand il fait froid j'ai froid, quand il fait chaud j'ai chaud, quand il fait beau j'ai beau rire chanter, je n'ai que du moral, du feuilleton de moral où l'on dit qu'il fait beau que demain, alouette.

Je deviens du plancher et plus je suis toute seule moins je suis isolée du vent de l'eau du gel qui rentrent sans frapper

et qu'est-ce qu'on peut y faire ?

Tenez c'est comme les gens qui vous doivent des sous c'est vous qui êtes gênée ! gênée qu'ils n'y pensent pas, terrifiée qu'ils refusent et incendient vos murs de papier à rouler, alouette.

Et la preuve, où elle est ? ils vous crient. On ne s'est pas assis ! rien n'a été signé.

C'est sûr qu'on ne s'est pas prêté les grands stylos, le Montblanc, le Parker, le Waterman en or comme les présidents.

Ce soir je mangerais ce que je vous offrais, ce soir je boirais bien tout ce que vous buviez à mes fêtes, la fête, sans jamais m'inviter en retour peut-être.

Mais vous me menacez ! le poing dessus ma « yeule » tu en veux à ma « yeule » c'est toi qui dis comme ça. Au début j'ai compris que tu disais « l'aieule » la grand-mère.

Quand il fait froid j'ai froid, quand il fait chaud j'ai chaud, quand il fait beau j'ai beau me dire que ça ira ça n'ira pas plus loin que le plancher de bois la maison sans le toit les murs sans les portes la cloison de papier.

C'EST TOI QUE J'ATTENDAIS

J'aimerais te découvrir rêveur et en amour comme je le suis encore malgré l'indifférence qui encercle ton cœur. Ne rien dire, ne rien faire parce que j'espère encore que tu es comme moi, mieux que moi, puisque tu n'es pas moi et que certains matins j'ai cette carapace qui est tellement épaisse et que ma vie défile et court sous la pluie et goutte sur mes bas.

Et le ciel est si beau !
et le rose s'allonge et le blanc est si bleu

il faut se dépêcher avant que le vent tombe et que tout recommence : le fer de la geôle, le ciseau et la gouge qui dépècent la peau.

Rêver imaginer que tu m'aimes en silence, que tu n'attends qu'un signe.

« Je n'attendais qu'un signe » confiais-tu à voix basse.

Où est réalité ?

Et quand les pensées mortes cessent de mordre la bouche, quand tous les charognards quittent enfin les cheveux, alors on peut rêver et reprendre sa vie, sa vie que rien ne vaut, sa vie qui est à soi, son allégresse à soi, qui valse avec le monde et le présent ami qui forme des guirlandes et l'aube des parfums.

C'est toi que j'attendais.

IDEM

On peut encore avoir les mêmes rendez-vous les mêmes envols à deux le même rêve fou de parfum et de bleu, le même goût de miel.

Et pourtant ils sont là les ennemis de toujours ils n'ont pas bougé ils n'ont pas changé ce sont les mêmes juges les mêmes perruquiers les mêmes pas perdus les mêmes têtes qui tombent les mêmes yeux qui roulent éclatent et giclent sous les becs corbeaux les deux yeux des pendus et leurs effluves sombres.

Et pourtant on l'a faite la guerre la même guerre les mêmes éclats de mine les mêmes corps projetés dans la boue des galeries la même haie d'horreur les mêmes bras pénis et les bassins mentons et les barbes et les poils dont on ne parle pas ce sont les mêmes tus les mêmes sans paroles les mêmes petits doigts ce sont les mêmes râles ce sont les mêmes nerfs c'est le même combat c'est la même douleur rouge et noire qui déchire le ciel et la pluie inséchable sur les seins défoncés ce sont les mêmes casques les mêmes uniformes les mêmes enfants hurleurs la même maladie. J'ai tant de rêves en moi.

Il fait froid dans la pièce je repense à la couche baroque chamarrée comme une figue ouverte je pense à tout ce que dira le vent à l'oiseau mal connu qui s'envole superbe là qui existe devant moi qui ne regarde pas qui ne fait aucun mal et qui n'en fera pas qui n'a pas d'intentions qui me ravit là et qui m'invite à voir qui me permet de voir le bleu le gris l'orange l'améthyste farouche de sa beauté sereine le reflet dans son œil qui ne réfléchit pas.

Je rêve à l'eau qu'on boit dans laquelle tu te baignes la source verte et douce de la mousse et du ciel la couche a pris nos rêves et regarde nos cœurs — elle écoute le bruit des corps caribou et la danse magique qu'ils font avec les loups, le grizzli suit la horde, la danse de la nature protège son cœur sauvage et l'homme est bouleversé par la beauté du soir.

Le jour se lèvera.

HOMMES DE LA TERRE

Je chemine avec vous mes hommes de la Terre
et je tiendrais vos mains
si vous me les tendiez
je reste dans le coin
comme un gibier sauvage
qui me mordra la joue.

C'est la répétition
de l'autre solitude
celle contre quoi j'écris
mais peut-être qu'à force
de ne la taire pas
je l'appelle
et elle vient
comme un gibier sauvage
qui me mordra la joue.

Je chemine avec vous
mes hommes de la vie
vous ne m'invitez pas
ni ne reconnaissez
la fleur et son parfum
dans mes mains
qui ont froid.

Et elle vient
et elle vient
et vous ne savez rien.

S'IL FALLAIT

S'il fallait crier chaque fois que ça fait mal !
Les oreilles pisseraient des rigoles de sang
elles auraient la gravelle
elles seraient lourdes et noires
épaisses et malfaisantes
et on n'entendrait plus
de chansons, d'opéras, de vagues, de mots d'amour
ni le chant de la pluie
quand j'étais dans tes bras.

Si on devait crier chaque fois que ça fait mal !
On ne s'entendrait plus
le vacarme couvrirait les sermons de la banque
et trancherait la gorge à toutes les mosquées.
L'homme qui dort au trottoir, cette nuit
encore une, a bien envie de dire qu'il a faim qu'il a
    froid.
Il se dit, ça se voit que j'ai rien, ça se voit
mais tous les passants passent,
le passent sans un bruit.
Qu'il est seul l'homme qui dort sur la nuit !

S'il fallait faire sortir les cris et les gueulantes
à chaque coup d'épingle
à chaque humiliation, à chaque lâcheté
aux ruptures des promesses
de l'amour, de la vie

le tumulte lèverait
son grand tapis de cendres
et cracherait sa lave
sur les têtes pendues.

S'il fallait dénoncer les écorchures
les peines
les seringues embolies
chaque viol
les fils abandonnés
qui étreignent la terre,
les pages des journaux déborderaient
de l'encre de calmars géants
qui nous mordraient au ventre
et saliraient nos mains.

S'il fallait que je dise comme j'ai besoin de toi
comme j'ai désir de toi
comme j'ai rêve de nous
et des trois souhaits du conte
je me transformerais
en oiseau
en poisson
mes sabots seraient d'or
et je n'entendrais plus.

LA VIE DANS NOS CULOTTES

On n'oublie jamais rien
la vie dans nos culottes
ton sexe exagéré
qui gonflait qui gonflait
que je prenais toujours dans ma main
comme un nid qui me faisait penser
à du bois au printemps
et au ciel
où parfois nous allions
pas toujours pas toujours
souviens-toi mon amour
on nous l'interdisait
mais rien des punitions et des enfermements
ne pouvait empêcher la vie dans nos culottes.

Nous n'avons que le temps
le temps est notre vie
c'est pour ça qu'on le prend qu'on le veut qu'on le
    vend
nous sommes grain de sable éternuement de chou
éternels incrédules
je crois je crois qu'avec nos culottes
nous avons célébré la vie et la lignée.

Nous n'avons que l'amour
qui emprunte tes doigts tout nimbés de soleil
tes doigts qui touchent encore mon corps dans ses
    détails

et dans la plénitude d'avant le souvenir
tes mains d'homme qui sait
que nous venons de l'eau que nous venons du vent
que jamais les grands arbres
n'ont poussé leurs racines pour boire le mercure
le napalm et le sang.

Rien ne s'effacera de l'antique mémoire
et quand nous porterons
nos petites affaires mises dans le baluchon des livres
enfantins on entendra
C'est tout ?

Et nos yeux pleins de vers se souviendront alors
du vieux documentaire où les enfants pêcheurs
aux yeux de sel blanc rapportent dans leur paume
fripée par l'eau de mer
les deux perles peut-être arrachées au couteau
par les mains épicières qui ne se mouillent pas
et qui renvoient plonger l'enfant à la branchie.

On n'oublie jamais tout
la courtepointe abrie les corps des innocents
et tous ceux des salauds
te souviens-tu mon cœur
de toutes tes questions
Que laissent les bourreaux ?

Ils arrivent ils sont là
tu t'agites tu cries

on leur demandera
Pourquoi ? De quel droit ?
Tu dis : tu vois l'horreur, la terreur, l'absurde
Moi je dis ce sont des imposteurs qui ont formes
    humaines
mais qui à l'intérieur ne sont pas des humains
Toi tu dis que tout à l'intérieur
c'est justement humain.

Les rêves somptueux se couchent auprès des morts
et berceront en gris les enfants de leurs fils
Et le sexe est tunnel qui mène à vie à mort
et sans mort point de vie et en vie c'est la mort.

La terre est cimetière
la terre est potagère
la terre est le dancing des corps qui s'enlacent
la terre est cercle rouge qui jamais ne se rompt
et qui se mord la queue
qui joue dans nos culottes.

Et la pluie de ton ventre nous rend à la nature
tous les monts de Vénus deviendront poudre
    blanche
aucun de nos départs ne sera bienvenu
mais il faudra partir
mon amour mon amour
et nous emporterons la vie dans nos culottes.

À FEDERICO FELLINI

Un cimetière de voitures
en représentation
Un homme qui étouffe et s'envole aux nuages.
Descends ! Mais descends donc !
L'homme chute sur la plage.
Respirez ! Toussez ! Respirez !
Et tous boivent à la source
ils remplissent leur bouche d'un morceau de la
    source
qui les vivifiera
Signore ! Bicchiere !
Monsieur ! Votre verre ! Monsieur !
Et quand...
On s'embrassait tout nus
Et mon mari nous tuait !
Ouvre ouvre le drap. C'est bien vrai que tu m'aimes ?

Mon père ma mère nous avons si peu parlé
C'est si triste de faire fausse route
Ta mère a mis un peu de fromage et deux pêches
Ne pleure pas
Les premiers temps...
Tu ne me reconnais pas ?
Dans l'ascenseur le vieillard prie
Un ange passe avec son chien
Fais le danser. Ton personnage !
Sa chair et ses idées
Fais le danser !

À genoux tu iras aussi loin que ta vie
Ne te relève pas.
Ils trancheraient tes yeux
casseraient tes pommettes à coups de petits pics
et de la pince à glace
arracheraient ton nez.
Ne te relève pas
colle plumes et bec à ton visage en ruines.
Vole vole ! Ne te relève pas !
Ne sois pas sur la terre
Ne foule plus jamais les écorces d'orange
tes semelles se changent en lézard en boa
en gravures d'Escher qui reprennent tes pas
Ta bouche s'arrondit et prononce les mots de
    l'enfant assoupi
La vieille les écrit et le petit garçon
refuse d'aller au lit.

Et le grand escalier conduit à d'autres chambres.

Je suis ta préférée.

Fermez vos yeux si beaux
mes enfants
mes parents
L'amour pardonne tout à la fragilité.

Tu as besoin de moi ?
Non. Buona notte !
Mais ta voix est si dure
Mais elle n'a pas de honte
Mais ta voix est si dure
Tu ne sais pas parler d'amour.
Ne te découvre pas.
Respire ! Tousse ! Respire!
Je pense à toi toujours
Dis-moi la vérité
Dimi la verità !
L'oiseau nous accompagne dans le dernier trajet.

Mais il faudra penser aux objets de la vie
le lait du frigidaire
Et le chat affamé
Peut-être une radio
Peut-être le chauffage
Peut-être le robinet
La lumière allumée qu'on verra de la rue
Les oiseaux chanteront.

La honte est un curé qui n'aime pas la vie.

Dépêchez-vous ! on vous attend !
Cinq minutes pas plus !
Hors de l'église point de salut

Celui qui n'est pas citoyen de Dieu
est citoyen du diable.

Heureusement, heureusement
qu'on a encore Blue Moon !
Hors de la lune bleue, quelle vie, pauvres amants !
Je suis content que tu sois là
Dis-moi la vérité de la foule tragique.
Dans ma vie je mets tout, on voit tout
et même les claquettes du marin millénaire.
Que penses-tu de moi ?
Qu'attends-tu de moi ?
Je suis désemparée
Est-ce qu'on dit « emparée » ?
Désemparée de toi
Tout le monde s'en aperçoit
le lait du frigidaire
la lumière allumée.

Je n'ose rien enterrer.
Dis aux esprits qu'ils me parlent
Ils te connaissent bien.
Tu es libre. Mais fais vite !
Dépêchez-vous !

Mets les lunettes noires aux autres si tu veux.
Que dis-tu ?

Comme elles s'entendent bien les femmes du
    harem ?
Comme elles sont adultes ?
Ça n'est pas mieux comme ça ?
Comme le roitelet nous donne des leçons !
Comme les hommes sont frères !
Ils ne font plus de guerre !
Comme ils ne mentent plus !
Comme ils sont au-dessus !

Ne te relève pas
Rêve au plus
Ils se suffisent bien
Tu es un interlude.
Le vie est masculin
La mort est féminin.
Alors, tu vois bien.
Ma non è giusto !
Mais c'est injuste !
Tu veux me quitter ?
Tu fais bien de le dire
Moi je n'aurais pas pu
Je ne sais pas je ne sais pas.

Tout se place toujours.
Mais les objets du monde ?
Le lait du frigidaire

Les gâteaux, les beaux gâteaux de fête
Depuis combien d'années ont-ils disparu?

Tu penses à des gâteaux?
Non, je ne pense plus. Je t'aime quoi que tu fasses.
C'est la force des pauvres.

La fanfare s'en va et le joueur de pipeau avec sa
cape blanche nous montre le chemin.

JARDIN JAPONAIS

À Marie-Claire Blais

Et tu disposeras la forme aventureuse des traces de
    nos pas
Et tu composeras
le jardin japonais
qui guidera ma vie
Toi seul mets le rouge à ma bouche à mes joues
Toi seul envermillonnes
et fardes mon émoi
humble de ton savoir.

Mon corps a pris la forme de mon âme ce soir
je suis timide aussi
je ne peux pas tout dire
mais tout sort quand même
en matière en amour
et mon regard murmure que je suis avec toi
et que je te reçois
Ô toi mon invité
tu laisseras la vie passer
et danser à sa guise
tu colleras encore ta poitrine
et ta vie sur celle des innocents.

Tu sais que tu es fort
pour braver les armées !
Qui ne s'y trompent pas

qui savent bien ta force
pour ainsi la traquer
l'arrêter la réduire à la cage
que refusait hier une vétérinaire
la jugeant trop étroite
pour sa portée de rats.

Ô jardinier des mots
gazonnier des ajoncs asphaltier de mes pas
cantonnier de la voie qui me ramène à toi
encore à toi
et la nuit et le jour
Comme tu abreuves bien
la terre meuble et chaude
qui t'appelle qui dit
Soif ! Soif !
Comme j'ai soif de toi.

UN CORPS COMME UN JARDIN

La nuit n'a pas rendu
le sanglot à l'amour
Et le corps solitude
compte la multitude
de l'instant mis en terre
et les étreintes muettes
qui ne s'entendent plus.

ENTRE CHIEN ET LOUP

Ma mère me disait
N'oublie pas la fable
celle du chien et du loup
Le chien mange à sa faim et il a un abri
Le loup erre, chassé
Mais le chien a au cou la marque d'un collier.
Je n'ai pas oublié.

WITH ORANGE IN IT

Orange dans ma bouche
tu deviendras
mon sang
orange dans ma main
tu lances le destin
sur le zeste du temps.

Cet ouvrage, composé en Bodoni corps 12
sous la direction de
Louise Blouin et Bernard Pozier,
a été achevé d'imprimer pour le compte de l'éditeur
Écrits des Forges, en août 2000
sous la supervision de

1497 Laviolette, Trois-Rivières, Québec, Canada

tél. : 1.819.376.0532
téléc. : 1.819.376.0774
internet : compo2000@tr.cgocable.ca

Imprimé au Québec